子どもの権利条約

　1989年11月20日、多くの国ぐにが集まって世界のことを考える国際連合で、「子どもの権利条約」を守っていくことが決められました。

　「子どもの権利条約」には、子どもは一人の人間であり、権利を持っているということや、子どもの持っている権利の内ようについて書かれています。中でも「どんな差別も受けないこと（差別の禁止）」、「子どもにとってもっともよいことをする（子どもの最善の利益確保）」、「子どもの声をしっかりと聞き、大切にする（意見表明の尊重）」、「子どもが元気に生きる、のびのび育つことをする（生命・生存、発達への権利）」の4つをとても大切なこと（一般原則）と考えています。ほかにも、遊ぶ権利や勉強する権利、人に知られたくないことを守る権利など、子どもがせいちょうしていくためにひつような権利が決められています。そして、子どもにとって大切なことだけでなく、子どものためにおとなや国がどのようにおうえんしたらいいのかについても決められています。

　この条約を守ると決めた国や地いきは196あります（2020年3月げんざい）。日本も1994年9月に、この条約を守ることを決めました。たくさんある世界のやくそくの中でも、そのやくそくを守ろうと決めた国や地いきがいちばん多いのが、子どもの権利条約です。国と国との間の法律で、その条約を守るということが決められています。世界中の多くのおとなは、子どもの権利条約を守って、子どもたちを大切にしていこうと考えているのです（国際基準）。

目次

子どもの権利条約について ❶

このワークブックの使い方 ❹

保護者・指導者の方へ ❺

前文 ❻

第31条 ゆっくり休み、自由な時間には遊んだり、
読書したり、芸術にふれることができる権利 ❽

第28条 教育を受け、学ぶことができる権利 ⑫

第24条 健康で生き生きとくらすための権利 ⑯

第2条 だれのことも、どんなときも差別をしないやくそく ⑳

第19条 親からの虐待や放任から守られる権利 ㉔

第12条 子どもが自由に意見を言い、
意見を大切にしてもらえる権利 ㉘

第23条 障害のある子どもたちが幸せに生きていける権利 ㉜

第3条　子どもにとって、もっともよいことを考える　㊱

第20条　家庭環境をうばわれても、
　　　　子どもにとってふさわしい環境で生活できる権利　㊵

第38条　子どもが、戦争に
　　　　まきこまれることがないように守る　㊹

考えてみよう！〈いちばん大切だと思った条文は？〉　㊽

作ってみよう！〈こんな条文があったらいいな〉　㊿

子どもの権利条約（国際教育法研究会訳）㉒

おわりに　㊗

このワークブックの使い方

　「子どもの権利条約」は、前文と54のやくそくからできています。その中から、日本でくらしているみなさんにぜひ知っておいてもらいたい10のやくそくを、このワークブックにのせました。

　はじめにイラストをよく見てください。そして、そのイラストがどんな子どもの権利（大切な力）について書かれているのかを、イメージをふくらませて想ぞうしてください。決まったら、ワークブックに書きこんでみましょう。あなたが想ぞうしたことなので、正かいとか間ちがいとかはありません。自しんを持って、書いてください。そして、どうしてそう思ったのかも教えてください。

　次に、このイラストをえがいたノーマンさんが、どのような子どもの権利（大切な力）についてえがいたのかがのっています。さあ、どうでしょうか？
　あなたの想ぞうしたことと、ノーマンさんが想ぞうしたことは同じでしたか？　それともノーマンさんはもっとちがうことを考えていましたか？
　もし、友だちといっしょにこのワークブックをやっていたら、みんなで想ぞうしたことを話し合ってみましょう。もし、おとなの人とやっていたら、あなたが考えたことを教えてあげてください。

　10のやくそくのワークが終わったら、その中であなたがいちばん大切だと思ったやくそくがどれだったのか、それはどうしてなのかも書いてみましょう。また、もっとほかにあったほうがいいと思う「子どもの権利（大切な力）」を考えて書きこんでみましょう。

保護者・指導者の方へ

　このワークブックは、「子どもの権利条約」の中から、日本で暮らしている子どもたちの日常に関係する条文、子どもたちに正しく理解してもらいたい条文、そして、海外の子どもたちの状況に思いをはせることができる条文を選んで掲載しました。条文の順ではなく、子どもたちがワークに取り組む際にイメージしやすいと思われるイラストの順になっています。

　スウェーデンの画家チャーリー・ノーマンさんによる美しいイラストをじっくり見て、自由に想像する経験から、子どもたちが自分たちの権利に気づき、知るきっかけを作ってあげてください。さらに、言葉にして自分の思いを伝え、子どもたち同士でイメージを分かち合い、互いの意見を尊重し合える場ができれば、より理解を深めていただけるでしょう。

　本書をまとめるにあたっては、子どもたちにもわかるように条文をやさしい文言に置き換えて掲載しました。条文が長い場合は、子どもに特に伝えたい部分を抜粋して載せている場合もあります。巻末には、英語の原文から忠実に訳された「国際教育法研究会」の訳文を全文掲載してありますので、ご参照ください。

　文字は原則として小学校３年生までに習う常用漢字を使用し、ルビを振ってあります。コラムの部分は、子どもたちが理解するには少し難しいこともあると思いますので、かみ砕いて説明してあげてください。

　このワークブックが、子どもたちが「子どもの権利条約」に触れるきっかけになりますように、おとなの方々が「子どもの願う権利」を知るきっかけになりますように、心より願っています。

この条約を守ると決めた国は、すべての子どもは、おとなといっしょに社会をつくっているかけがえのない大切ななかまであり、そして「だれもうばうことのできない人間としての権利」を持っているとみとめることが、世界の自由や平和のきそになっていると考えています。

多くの国ぐにが集まって、みんなの「大切な人間としての権利」を守ることに意味があるという思いをかくにんし、大きな自由の中で社会がよくなり、毎日ごはんを食べたり、きれいなしぜんの中で遊んだり、学校などで学んだりして毎日の生活をよくしていこうと決めました。

それらの国は、子どもであろうとおとなであろうと、どんな国に住んでいても、どんなはだの色をしていても、どんなせいべつでも、どんな言葉を話しても、どんな神さまをしんじていても、どんな政党をし持していても、どんな家に生まれても、人間としての権利と自由をみんなが持っているということをせん言し、そのとおりだとみとめています。

さらに、子どもはさいしょからおとなと同じようにいろいろなことができるわけではなく、赤ちゃんが、お母さんやお父さんからミルクやごはんを食べさせてもらうように、子どもはそのせいちょうに合わせて、おとなからとくべつに世話をしてもらい、助けてもらうしかくがあると考えています。

また、それらの国は、子どもが一人の人間としてせいちょうしていくためには、あいじょうを持って子どもを理かいしようとする家庭環境で育つことが、とても大切と考えています。子どもが実のお母さん、お父さんとくらせないことがあるかもしれません。そのときには、生まれた家庭だけではなく、里親さんや養子縁組という代わりの家庭などで、かわいそうという同じょうの気持ちで育てられるのではなく、たくさんのあいじょうを持つおとなの人に育ててもらう権利を子どもは持っています。また、国と国とのあらそいごとなどからも守られる権利を持っています。

子どもが、ただ子どもだからという理ゆうで、本来持っている権利を大切にされないで生活しているじょうきょうが世界のすべての国にあることを、おとなも子どもも理かいしましょう。そして、おとなは、子どもを守ろうとするときや子どもが自分らしく育つことをおうえんするときには、子どもが生活する地いきに昔からつづいている文化を大切に考えていきましょう。

子どもを取りまく問題は世界のすべての国の問題ですが、とくに発展途上国の子どもたちが生きるための環境をよくしていくために、世界中の国が力を合わせることがひつようだということをかくにんして、子どもの権利について54のやくそくごとを決めました。

この絵は、子どもが持っているどんな権利(大切な力)を
表していると思いますか?

どうして、そう思ったのかな?

ゆっくり休み、自由な時間には遊んだり、読書したり、芸術にふれることができる権利

1. この条約を守ると決めた国は、子どもは体と心のせいちょうのために、ゆっくり休み、すきなことを考える時間が大切だと思っています。自由に楽しむ時間を持ち、ねんれいに合った遊びをしたり、本を読んだり、音楽をきいたり絵をかいたり、おしばいや映画を見たりするようなくらしをすることが、大切な子どもの権利だと考えています。

2. このような楽しみや、芸術のある生活にさんかできるように、いろいろな取り組みや場所を子どもたちのために用意するようにします。

コラム　　　しぜんから教えてもらうたくさんのこと

　埼玉県に、子どもたちが心から楽しく遊べるようにと、お母さんたちが力を合わせてつくった、ようち園があります。庭はとてもとても広くて、森があります。山もあります。子どもと先生だけではなく、ヤギがいます。ウサギとチャボもいます。

　森の中を友だちといっしょにかけ回ったり、落ち葉のふわふわベッドにね転んだり。一人でいたいときには、大きな木によりかかって、ずっと空を見ていることだってできるんですよ。

　子どものときに木や光を見てきれいだと思ったり、ふしぎだと思うことはとても大切なことです。動物や、植物や、虫たちとなかまになって「みんないっしょだね」と感じることも、とても大切です。しぜんは、子どもたちにたくさんのことを教えてくれる先生だからです。だから、しぜんの中でいっぱい遊んでください。

　あなたの住んでいるところには、森や山はないかもしれないけれど、校庭や公園で空を見上げたり、風を感じることはできますよね。もし、空がきれいだなと思うことがあったら、風が気持ちいいなと思うことがあったら、それは「しぜんの先生」があなたのところに来てくれたってことです。

　おとなになるまでに、たくさんのしぜんの先生と出会ってくださいね。

葭田あきこ（認定NPO法人花の森子ども園代表）

この絵は、子どもが持っているどんな権利(大切な力)を
表していると思いますか？

どうして、そう思ったのかな？

教育を受け、学ぶことができる権利

1. この条約を守ると決めた国は、すべての子どもが、さまざまなことを教えてもらい、また自分から学び、その学びをもとにせいちょうしていけるようにします。とくに次のようなことを大切にしていきます。

・みんなが通える学校をつくり、お金の心配をしないで学べるようにします。

・すべての子どもが勉強することができ、社会の仕組みやいろいろな仕事があることも学べるようにします。

・学校にきちんと通えるようにして、学校をやめなければならない子どもをなくすように、ど力します。

2. 子どもを一人の人間として大切にするような、学校の決まりや先生の教え方にします。

3. 世界中のすべての人たちが、読み書きができて、ひつようなこと、きょう味のあることを知り、学ぶことができるように、世界の国ぐにが力を合わせていきます。教育が広まっていない国ぐにには、とくべつのおうえんもしていきます。

コラム ┊ おうえんしてくれるおとなは、きっといます

「教育を受ける権利」には、勉強についてのいろいろなことが書いてあります。学校は漢字や足し算や引き算を教えてもらうだけの場所ではなく、たとえば、しょうらいの自分がなりたい仕事について考えることもできます。

たくさんの友だちといっしょに考えたり、野球やサッカーのようにチームをつくって運動をすることもできます。勉強というのは、国語や算数のことだけではないのです。

もし学校でいやなことがあったときには、先生だけではなく、スクールソーシャルワーカー、スクールカウンセラーという、こまったことの話を聞いてくれる、専門の人に相談することもできます。その人たちは、みんながいやだと思っていることについて、何をしたらいいのかを、いっしょに考えてくれます。

勉強は学校ではない場所でもできます。たとえば、フリースクール、フリースペースというところでは、自分のペースで勉強を進めていくことができます。どんな場所でも、勉強したいという気持ちがあれば、おうえんしてくれるおとながいます。

高石啓人（元スクールソーシャルワーカー、山梨県立大学講師）

この絵は、子どもが持っているどんな権利(大切な力)を
表していると思いますか？

どうして、そう思ったのかな？

健康で生き生きとくらすための権利

1. この条約を守ると決めた国は、すべての子どもが健康な生活を送り、もし病気になったときでも、お医者さんにみてもらい、いちばんよい方法でなおしてもらって元気を取りもどすようにします。

2. この条約を守ると決めた国は、とくに次のようなことを大切にしていきます。

   ・お母さんが元気な赤ちゃんをうめるようにして、赤ちゃんが病気にならないようにします。

   ・子どもが病気にならないように、もし病気になってしまっても、お医者さんにみてもらえるようにします。

   ・きれいな水やえいようのある食事をして、家族みんなが元気でくらしていけるようにします。

   ・子どもとお母さん、お父さんが病気にならないように考えたり、気をつけたりします。

3. 昔からずっとやってきたことでも、子どもの心や体によくないと思われることはやめるように、みんなにすすめます。

4. 世界中の子どもが健康になれるように、世界の国ぐにが力を合わせます。とくに病院の少ない国にはきょう力します。

コラム　子どもたちが健康に育つために

　子どもには生きる権利・せいちょうする権利があると、子どもの権利条約で決められています。子どもが病気になったときにお医者さんにみてもらうことや、病気にならないようにふせぐことも、大切な子どもの権利であると決められています。

　たとえば、日本では子どもが病気にならないために、また、社会に病気が広まらないために、いくつかの病気について注しゃを受けられることが法律[1]で決められています。これを「予防接種」と言います。

　また、子どもが生まれてから1さい6か月、3さいなどの決まったねんれいになったときに、健康に育っているかをお医者さんやほけんしさんがみてくれて、お父さん、お母さんにアドバイスをする「健康診査」も、法律[2]で決められています。

　もし、子どもたちが病気やケガで、運動することや人といっしょに過ごすときに苦手なことができてしまっても、子どもが楽しく生活ができるように、さまざまなことを練習するリハビリテーションを受けられる仕組みもつくられています。

　このように、子どもたちが健康に育つようにいろいろなことが決められているのです。

中川友生（神戸市総合療育センター理学療法士）

註 1) 予防接種法（1948《昭和23》年法律第68号）で、伝染の恐れのある疾病の発生と広がりを予防するためにワクチンの予防接種を公費で行うことなどについて規定されています。
　 2) 母子保健法（1965《昭和40》年法律第141号）で、市町村が乳幼児に対して健康診査を行うことが規定されています。

この絵は、子どもが持っているどんな権利(大切な力)を
表していると思いますか?

どうして、そう思ったのかな?

だれのことも、どんなときも差別をしないやくそく

1. この条約を守ると決めた国は、その国のすべての子どもが、条約で決められた子どもの権利を持つと考えます。そして、その権利を実現します。子ども、お母さん、お父さん、または、法律で決めた育てる人が、どんな国や家に生まれても、はだの色、せいべつ、言葉や文字、しんじている神さま、食べものや着ているもの、考え方がちがっても、お金があってもなくても、心や体に苦手なことがあっても、どんな差別もゆるしません。

2. 子どもが、お母さんやお父さん、法律で決めた育てる人、家族の行動や意見、考えによって、まわりの人から差別されないように、また、ばつをあたえられることから守られるようにします。

コラム あなたもわたしも大切な一人ひとり

　お父さんやお母さんが日本の人ではなかったり、おじいさんやおばあさんが日本の人ではなかったりする子どもたちを「外国につながる子ども」と言います。

　地球にはたくさんの国があり、たくさんの人が住んでいます。住んでいる国や場所で、はだの色がちがったり、かみの毛の感じがちがったり、話したり書いたりする言葉がちがったりします。地球はすごく大きくて広いので、いろいろな人がいてもふしぎではありませんよね。

　日本に住んでいる、外国につながる子どももいます。外国につながる子どもは、日本人のお父さんとお母さんから生まれて、ずっと日本でくらしている子どもとは少しちがうこともあります。それは、見た目や言葉、持っているものや、しんじている神さまだったりします。少しちがうことで、悪口を言われる、からかわれる、なかま外れにされるなど、悲しい気持ちやいやな気持ちになることがあって、毎日が苦しくて学校がきらいになってしまう子もいます。

　たとえば、日本に来たばかりのとき、日本語はじょうずではありません。だから自分の思っていることをうまくつたえることができなくて、ケンカになってしまいます。本当はもっとちがうことが言いたくて、みんなとなかよくしたいのに、何て言っていいのかわからなくて、こまってしまうことがあります。

　人の心の中には、自分とちがうことを分けるために、かべをつくろうとする力がはたらくことがあります。もし、お友だちを悲しませるような、かべができそうになったら、子どもの権利条約のやくそくを思い出してください。心のかべはつくらないでください。みんな、同じ、大切な、一人ひとりなのです。

前川洋子（豊岡短期大学講師）

この絵は、子どもが持っているどんな権利（大切な力）を表していると思いますか？

どうして、そう思ったのかな？

親からの虐待や放任から守られる権利

1. この条約を守ると決めた国は、お母さんやお父さん、法律で決めた子どもを育てる人が、子どもにぼう力をふるったり、子どもにひどい言葉をあびせたり、子どもをばかにしたり、むししたり、子どもの心と体が健康に育つための面どうを見なかったり、子どもにいやらしいことをしたり、子どもをお金もうけに利用したりすることから、子どもを守るための法律や社会の仕組みをつくります。

2. おとなのぼう力から子どもを守るために行うことは、子どもを育てている人をささえるための計画を立てたり、子どもがつらいと感じることが起こらないように予ぼうすることや、育てている人から子どもが正しくないあつかいを受けていることを見つけたり、子どもが正しくないあつかいをされていないかを調べることもふくまれています。

コラム：子どもを助けられる、おとなになろう

　子どもの権利条約では、すべての子どもに「守られる権利がある」ことが決められています。すべての子どもが温かいごはんを食べ、あたたかい家のふとんでねむることができる…。お父さんやお母さんをはじめとした、すべてのおとなは力を合わせて、そういう幸せな国をつくらなければいけません。

　しかし、今の日本には、夜中におさない子どもだけでいることや、ごはんが食べられない、せいけつな洋服を着られない、ゴミでいっぱいの家でくらすなど、幸せな生活を送ることができない子どもたちがたくさんいることが、わかっています。

　むずかしいのは、本当は子どもたちを幸せにしたいと思っていても、夜はたらかなければならなかったり、くらしていくためのお金が足りなかったりと、お父さんやお母さんがこまっていることもあることです。

　夜、子どもだけでいないかな？　寒いのにいつも上着を着ていないとか、毎日よごれた洋服ばかり着ている子はいないかな？

　もし、今、あなたのまわりに、こまっている友だちがいたら、学校の先生に相談してください。先生は、子ども食堂や夜間保育など、こまっているお父さんやお母さんや子どもをおうえんするおとなに、話をしてくれるはずです。しょうらい、あなたが大きくなったとき、心配な子どもがいたら、児童相談所、けいさつなどに相談できるおとなになってください。子どもたちのまわりにいるおとなが、ほんの少しのことに気がつけば、子どもたちをこまったことから助けることができるのです。

河田浩二（元児童相談所職員）

この絵は、子どもが持っているどんな権利（大切な力）を
表していると思いますか？

どうして、そう思ったのかな？

子どもが自由に意見を言い、
意見を大切にしてもらえる権利

1. この条約を守ると決めた国は、子どもが自分にかかわることすべてについて、考えたことを自由に言うことをみとめます。子どもが言ったことは、その子のねんれい、せいちょうに合わせて、どんなことを言ったのか考えて大切にしていきます。

2. 子どもは自分にかかわることについて意見を言うときに、法律や社会の手つづきがひつような場合には、国の法律にもとづいて意見を聞いてもらうことができます。

コラム ： つたえて、話し合って、わかり合おう

　人間は自分にかかわるいろいろなことについて、思ったことや意見を言うことができます。赤ちゃんは「おなかがすいた」と思ったら、ないて「ミルクがほしい」とつたえます。人間は生まれながらに、思いや意見を言う権利があるのです。これを「意見表明権」と言います。

　「早く宿題をやりなさい」とお母さんが何度も言います。でも「先にやりたいゲームがあるんだ」「今はやる気がしない」「宿題、宿題ばかり言わないで!」という自分の思いを言えず、お母さんに言われるだけだと、とてもいやな気持ちになりますよね。

　友だちとケンカになり、相手をたたいてしまった。先生は、「たたいたあなたが悪い。あやまりなさい」と言います。でも「ケンカになる前に、友だちから意地悪をされたから」という理由があったら、先生にしかられるだけではなっとくできませんね。

　でも、宿題を全くやらないですますことはできないし、ぼう力をふるったことは、すなおにあやまるひつようがあるでしょう。自分の思いや意見をただ言うだけではうまくいきません。どうしたらうまくいくか、考えることも大切です。

　多くの児童館で、思いや意見を出し合って自分たちがやりたいことを話し合う「こども会議」が開かれています。「オセロの大会がしたい」「図書室にマンガを入れてほしい」など、いろいろな意見が出ます。児童館は「これをやらなくてはいけない」という場所ではありません。やりたいことを楽しくやる場所です。「上級生が自分たちの遊びのじゃまをしてこまる」というようなことも言えます。

　こうした、みなさんの意見が生かされて、児童館はなり立っています。ぜひ、近くの児童館に遊びに行ってみてください。そして、自分の考えを言ったり、友だちの意見を聞いてみたりしてください。

山崎素裕(児童館職員)

この絵は、子どもが持っているどんな権利(大切な力)を
表していると思いますか?

どうして、そう思ったのかな?

障害のある子どもたちが幸せに生きていける権利

1. この条約を守ると決めた国は、心や体に苦手なことやできないことがある子ども
も、発たつがゆっくりな子どもも、自分らしく社会にさんかしていくことを助け、
ささえます。そして、心や体に苦手なこと、できないことがあっても、楽しくゆ
たかな毎日をすごすべきだと考えます。

2. 心や体に苦手なことやできないことがある子どもたちには、お医者さんや先生た
ちからのとくべつな助けやささえがひつようであると考えています。国は助けや
ささえをひつようとしている子どもや子どもを育てる人に、きちんと助けやささ
えがとどくようにくふうをしていきます。

3. 心や体に苦手なことやできないことのある子どもたちが、社会の中で自分の力を
つけて、その力をいっぱい出せるように、いろんなことを学んだり、体を強くし
たり、よくなるようにお医者さんにみてもらったり、トレーニングしてもらった
り、はたらくための練習ができるようにします。また、いろいろな遊びにもさん
かして楽しめるようにします。

4. 心や体に苦手なことやできないことのある子どもたちのために、心や体のことを
研究し、わかったことを世界の国ぐにで教え合いながら、きょう力していきます。
心や体に苦手なことやできないことのある子どもが、世界中のどこにいても幸せ
になれるように、世界の国ぐには助け合います。

コラム　声をかける勇気を持とう

ある日、電車に乗ろうと駅へ行ったら、車いすに乗った友だちがいました。ところが、電車が来たのに友だちはその電車に乗りませんでした。しばらくすると、駅員さんがホームと電車のすき間に車いすのタイヤが落ちないようにする「かんいスロープ」を持ってやってきました。次の電車が来ると、駅員さんは電車とホームの間にスロープをわたして、車いすの友だちは電車に乗りこむことができました。

ぼくだったら、すきな電車に乗れるのに、あの友だちは駅員さんに手つだってもらわないと電車に乗れず、かわいそうだと思いました。そして、何もできなかった自分がはずかしくなりました。友だちがすきな電車に乗れないのは、足が悪くて車いすに乗っているから？　そうではありません。東京の都営大江戸線という電車ならば、車いす専用のせつびがあって、駅員さんがいなくても、車いすでそのまま電車に乗ることができます。大阪モノレールや、沖縄のゆいレールも、かんいスロープを使わなくても車いすのまま乗れるようになっています。

足が悪くて車いすに乗っていることが「障がい」なのではありません。電車に乗りたいのに、駅員さんにおねがいしないと乗ることができない、それが「障がい」なのです。これを「障がいの社会モデル」と言います。

さて、車いすに乗っている友だちをかわいそうだと思ったあなたは、友だちのために何かできますか？　車いすに乗ってこまっている友だちがいたら、「何かお手つだいすることはありますか？」と声をかけてください。スロープは駅員さんが用意しますが、車いすの後ろに入れている荷物を取り出してあげるお手つだいができるかもしれません。

体や心に苦手なことがあっても、できないことは少なくなるように、まちや、たてものがかわっていって、「何かお手つだいすることがありますか？」と気軽に声をかける人がふえると、障がいのある子どもたちがすごしやすい社会になるのです。

遠藤久憲（NPO法人施無畏理事長）

この絵は、子どもが持っているどんな権利(大切な力)を
表していると思いますか？

どうして、そう思ったのかな？

子どもにとって、もっともよいことを考える

1. 子どもにかかわるすべての活動は、国や社会のどんな人や、どんなグループによって行われるとしても、また、法律をつくるときや、さいばんをするときにでも、子どもにとってもっともよいことをいちばんに考えます。

2. この条約を守ると決めた国は、子どもを育てる人がしてもいいことや、しなければならないことを考えながら、子どもが幸せに生活するために、育てる人をおうえんする法律や社会の仕組みをつくります。

3. 子どもが安心して幸せに生きることをおうえんしたり、子どもをきけんなことから守る場所で、子どもの安全や健康がしっかりと守られるようにします。子どものための場所には、子どもが幸せに安心してせいちょうするためにふさわしい人に、ひつような人数いてもらいます。もし、その場所や人が子どもにとって正しくないかかわりをしたときには、かかわりがよくなるように国が注意します。

考えてみよう！

①子どもにとって「もっともよいこと」って、何だろう？

②きみが今、大切だと思うものや、大切だと思うことって何かな？

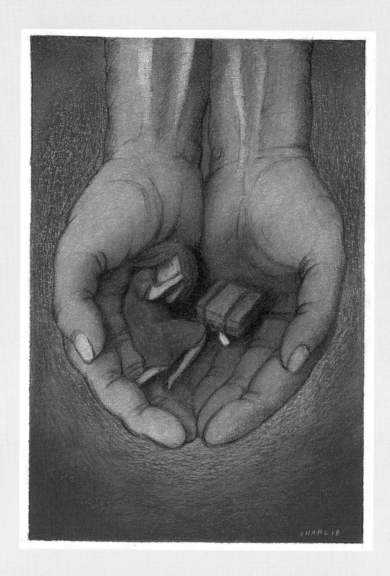

この絵は、子どもが持っているどんな権利(大切な力)を表していると思いますか?

どうして、そう思ったのかな?

家庭環境をうばわれても、子どもにとってふさわしい環境で生活できる権利

1. 子どもは、自分の家庭で家族と生活することができなくなった場合でも、国によって守られ、国が用意する子どもにとってふさわしい環境で生活する権利を持っています。

2. この条約を守ると決めた国は、子どもが家族と生活することがむずかしくなっても、子どもが幸せに育つことができるように、家族の代わりに子どもの世話をする人と家庭を用意する社会の仕組みを整えます。

3. 子どもが幸せに育つことについてみんなで考えるときは、子どもを育てる人が何度もかわらないこと、今まで生活していた地いきでくらしをつづけていけることや、しんじている神さま、文化、話したり書いたりする言葉なども大切に考えます。

コラム あなたが帰る場所はどこですか?

　わたしは、19さいまで子どもの権利というものがあることを知りませんでした。15さいで、お母さんとくらせなくなって、里親さん(法律で決められた親の代わりに子どもを育てる人)の家庭で2年半すごしました。15さいまでくらしていた家庭では、「しつけ」だからといって、お母さんからなぐったり、けったりされていました。でも、お母さんも、わたしも、これは「しつけ」なんだから、当たり前のことだと思っていました。

　児童相談所の人がぼう力から守ってくれて、里親さんの家庭でくらすようになって、なぐられたり、けられたりする今までの生活は、ほかの子どもたちとはちがうということに気づきました。わたしにとって、お母さんとくらした家と里親さんの家のどちらがよい場所、ふさわしい場所だったのかはわかりません。

　里親さんの家庭を出た後は、一つの家に何人かでいっしょに住む「シェアハウス」で生活してきましたが、今は一人でくらしていくじゅんびをしています。15さいでお母さんとくらすことはできなくなりましたが、その後に、里親さんの家庭で生活し、ちがった家庭をけいけんすることができました。そこで、心の中がザワザワしたり、イライラしたりすることは何度もありましたが、べつの世界を見ることができたことは、いいけいけんでした。これからの一人ぐらしをどうしていったらいいのかを、自分でしっかり考えることができるようになったからです。

　今、みなさんが帰る場所はどこですか?　わたしは、みなさんの帰る場所が、「心落ち着く場所」「自分を見うしなうことがない場所」だったら、それはあなたが生活をする場としてぴったりの場所、ふさわしい場所なのではないかと考えます。

山本愛夢さん(21さい。15さいでお母さんと二人でくらしていた家を出て、18さいまで里親家庭ですごしていました)

この絵は、子どもが持っているどんな権利(大切な力)を
表していると思いますか?

どうして、そう思ったのかな?

子どもが、戦争に
まきこまれることがないように守る

1. この条約を守ると決めた国は、戦争などのあらそいが起こったときに、人を大切にすると世界の国がやくそくした「国際人道法」の中で決めた「わたしたちは子どもを大切にするという決まり」をぜっ対に守ります。

2. この条約を守ると決めた国は、15さいにならない子どもが、ぶきを持って、戦争などのあらそいに行くようなことがないように、すべてのできることを行います。

3. この条約を守ると決めた国は、15さいにならない子どもを、へいたいにしません。15さいよりねんれいが上の子どもを、どうしてもへいたいにしないといけないときには、ねんれいが上の子からにするようにつとめます。

4. すべての国が、人を大切にするための世界の国ぐにの決まりを守って、戦争などのあらそいにまきこまれた子どもを守り、育てていくために力をつくします。

考えてみよう！

①戦争って、どんなことだと思う？

②戦争をなくすために大切なことって何だろう？

考えてみよう！〈いちばん大切だと思った条文は？〉

①このワークブックには、子どもの権利条約の中から10の「権利（大切な力）」が書かれていました。その中で、あなたが「いちばん大切」だと思った権利（大切な力）はどれでしたか？

②それは、どんな絵でしたか？　書いてあったものを思い出してみましょう。思い出せないときは、前のページにもどって調べましょう。

③どうして、いちばん大切だと思ったのですか？　お友だちやおとなの人に、大切だと思った理由を教えてあげましょう。

作ってみよう！〈こんな条文があったらいいな〉

①あなたが、あったらいいなと思う「権利（大切な力）」を書いて
　みましょう。

②どうして、その「権利（大切な力）」があるといいと思ったので
　すか？

50

③あなたが考えた「権利（大切な力）」を絵にしてみましょう。

子どもの権利条約

(国際教育法研究会訳)

前文

この条約の締約国は、国際連合憲章において宣明された原則に従い、人類社会のすべての構成員の固有の尊厳および平等のかつ奪えない権利を認めることが世界における自由、正義および平和の基礎であることを考慮し、国際連合の諸人民が、その憲章において、基本的人権ならびに人間の尊厳および価値についての信念を再確認し、かつ、社会の進歩および生活水準の向上をいっそう大きな自由の中で促進しようと決意したことに留意し、国際連合が、世界人権宣言および国際人権規約において、すべての者は人種、皮膚の色、性、言語、宗教、政治的意見その他の意見、国民的もしくは社会的出身、財産、出生またはその他の地位等によるいかなる種類の差別もなしに、そこに掲げるすべての権利および自由を有することを宣明しかつ同意したことを認め、国際連合が、世界人権宣言において、子ども時代は特別のケアおよび援助を受ける資格のあることを宣明したことを想起し、家族が、社会の基礎的集団として、ならびにそのすべての構成員とくに子どもの成長および福祉のための自然的環境として、その責任を地域社会において十分に果たすことができるように必要な保護および援助が与えられるべきであることを確信し、子どもが、人格の全面的かつ調和のとれた発達のために、家庭環境の下で、幸福、愛情および理解のある雰囲気の中で成長すべきであることを認め、子どもが、十分に社会の中で個人としての生活を送れるようにすべきであり、かつ、国際連合憲章に宣明された理想の精神の下で、ならびにとくに平和、尊厳、寛容、自由、平等および連帯の精神の下で育てられるべきであることを考慮し、子どもに特別なケアを及ぼす必要性が、1924年のジュネーブ子どもの権利宣言および国際連合総会が1959年11月20日に採択した子どもの権利宣言に述べられており、かつ、世界人権宣言、市民的及び政治的権利に関する国際規約（とくに第23条および第24条）、経済的、社会的及び文化的権利に関する国際規約（とくに第10条）、ならびに子どもの福祉に関係ある専門機関および国際機関の規程および関連文書において認められていることに留意し、子どもの権利宣言において示されたように、「子ども

は、身体的および精神的に未成熟であるため、出生前後に、適当な法的保護を含む特別の保護およびケアを必要とする」ことに留意し、国内的および国際的な里親託置および養子縁組にとくに関連した子どもの保護および福祉についての社会的および法的原則に関する宣言、少年司法運営のための国際連合最低基準規則（北京規則）、ならびに、緊急事態および武力紛争における女性および子どもの保護に関する宣言の条項を想起し、とくに困難な条件の中で生活している子どもが世界のすべての国に存在していること、および、このような子どもが特別の考慮を必要としていることを認め、子どもの保護および調和のとれた発達のためにそれぞれの人民の伝統および文化的価値の重要性を正当に考慮し、すべての国、とくに発展途上国における子どもの生活条件改善のための国際協力の重要性を認め、次のとおり協定した。

第I部

第1条（子どもの定義）

この条約の適用上、子どもとは、18歳未満のすべての者をいう。ただし、子どもに適用される法律の下でより早く成年に達する場合は、この限りでない。

第2条（差別の禁止）

1. 締約国は、その管轄内にある子ども一人一人に対して、子どもまたは親もしくは法定保護者の人種、皮膚の色、性、言語、宗教、政治的意見その他の意見、国民的、民族的もしくは社会的出身、財産、障害、出生またはその他の地位にかかわらず、いかなる種類の差別もなしに、この条約に掲げる権利を尊重しかつ確保する。
2. 締約国は、子どもが、親、法定保護者または家族構成員の地位、活動、表明した意見または信条を根拠とするあらゆる形態の差別または処罰からも保護されることを確保するためにあらゆる適当な措置をとる。

第3条（子どもの最善の利益）

1. 子どもにかかわるすべての活動において、その活動が公的もしくは私的な社会福祉機関、裁判所、行政機関または立法機関によってなされたかどうかにかかわらず、子どもの最善の利益が第一次的に考慮される。
2. 締約国は、親、法定保護者または子どもに法的な責任を負う他の者の権利および義務を考慮しつつ、子どもに対してその福祉に必要な保護およびケアを確保することを約束し、この目的のために、あらゆる適当な

立法上および行政上の措置をとる。

3. 締約国は、子どものケアまたは保護に責任を負う機関、サービスおよび施設が、とくに安全および健康の領域、職員の数および適格性、ならびに職員の適正な監督について、権限ある機関により設定された基準に従うことを確保する。

第4条（締約国の実施義務）

締約国は、この条約において認められる権利の実施のためのあらゆる適当な立法上、行政上およびその他の措置をとる。経済的、社会的および文化的権利に関して、締約国は、自国の利用可能な手段を最大限に用いることにより、および必要な場合には、国際協力の枠組の中でこれらの措置をとる。

第5条（親の指導の尊重）

締約国は、親、または適当な場合には、地方的慣習で定められている拡大家族もしくは共同体の構成員、法定保護者もしくは子どもに法的な責任を負う他の者が、この条約において認められる権利を子どもが行使するにあたって、子どもの能力の発達と一致する方法で適当な指示および指導を行う責任、権利および義務を尊重する。

第6条（生命への権利、生存・発達の確保）

1. 締約国は、すべての子どもが生命への固有の権利を有することを認める。

2. 締約国は、子どもの生存および発達を可能なかぎり最大限に確保する。

第7条（名前・国籍を得る権利、親を知り養育される権利）

1. 子どもは、出生の後直ちに登録される。子どもは、出生の時から名前を持つ権利および国籍を取得する権利を有し、かつ、できるかぎりその親を知る権利および親によって養育される権利を有する。

2. 締約国は、とくに何らかの措置をとらなければ子どもが無国籍になる場合には、国内法および当該分野の関連する国際文書に基づく自国の義務に従い、これらの権利の実施を確保する。

第8条（アイデンティティの保全）

1. 締約国は、子どもが、不法な干渉なしに、法によって認められた国籍、名前および家族関係を含むそのアイデンティティを保全する権利を尊重することを約束する。

2. 締約国は、子どもがそのアイデンティティの要素の

一部または全部を違法に剝奪される場合には、迅速にそのアイデンティティを回復させるために適当な援助および保護を与える。

第9条（親からの分離禁止と分離のための手続）

1. 締約国は、子どもが親の意思に反して親から分離されないことを確保する。ただし、権限ある機関が司法審査に服することを条件として、適用可能な法律および手続に従い、このような分離が子どもの最善の利益のために必要であると決定する場合は、この限りでない。当該決定は、親によって子どもが虐待もしくは放任される場合、または親が別れて生活し、子どもの居所が決定されなければならない場合などに特別に必要となる。

2. 1に基づくいかなる手続においても、すべての利害関係者は、当該手続に参加し、かつ自己の見解を周知させる機会が与えられる。

3. 締約国は、親の一方または双方から分離されている子どもが、子どもの最善の利益に反しないかぎり、定期的に親双方との個人的関係および直接の接触を保つ権利を尊重する。

4. このような分離が、親の一方もしくは双方または子どもの抑留、拘禁、流刑、追放または死亡（国家による拘束中に何らかの理由から生じた死亡も含む）など締約国によってとられた行為から生じる場合には、締約国は、申請に基づいて、親、子ども、または適当な場合には家族の他の構成員に対して、家族の不在者の所在に関する不可欠な情報を提供する。ただし情報の提供が子どもの福祉を害する場合は、この限りではない。締約国は、さらに、当該申請の提出自体が関係者にいかなる不利な結果ももたらさないことを確保する。

第10条（家族再会のための出入国）

1. 家族再会を目的とする子どもまたは親の出入国の申請は、第9条1に基づく締約国の義務に従い、締約国によって積極的、人道的および迅速な方法で取り扱われる。締約国は、さらに、当該申請の提出が申請者および家族の構成員にいかなる不利な結果ももたらさないことを確保する。

2. 異なる国々に居住する親をもつ子どもは、例外的な状況を除き、定期的に親双方との個人的関係および直接の接触を保つ権利を有する。締約国は、この目的のため、第9条1に基づく締約国の義務に従い、子どもおよび親が自国を含むいずれの国からも離れ、自国へ戻る権利を尊重する。いずれの国からも離れる権利は、法律で定める制限であって、国の安全、公の秩序、公衆の健康もしくは道徳、または他の者の権利および自

由の保護のために必要とされ、かつこの条約において認められる他の権利と抵触しない制限のみに服する。

第11条 (国外不法移送・不返還の防止)

1. 締約国は、子どもの国外不法移送および不返還と闘うための措置をとる。
2. この目的のため、締約国は、二国間もしくは多数国間の協定の締結または現行の協定への加入を促進する。

第12条 (子どもの意見の尊重)

1. 締約国は、自己の見解をまとめる力のある子どもに対して、その子どもに影響を与えるすべての事柄について自由に自己の見解を表明する権利を保障する。その際、子どもの見解が、その年齢および成熟に従い、正当に重視される。
2. この目的のため、子どもは、とくに、国内法の手続規則と一致する方法で、自己に影響を与えるいかなる司法的および行政的手続においても、直接にまたは代理人もしくは適当な団体を通じて聴聞される機会を与えられる。

第13条 (表現・情報の自由)

1. 子どもは表現の自由への権利を有する。この権利は、国境にかかわりなく、口頭、手書きもしくは印刷、芸術の形態または子どもが選択する他のあらゆる方法により、あらゆる種類の情報および考えを求め、受け、かつ伝える自由を含む。
2. この権利の行使については、一定の制限を課することができる。ただし、その制限は、法律によって定められ、かつ次の目的のために必要とされるものに限る。
(a) 他の者の権利または信用の尊重
(b) 国の安全、公の秩序または公衆の健康もしくは道徳の保護

第14条 (思想・良心・宗教の自由)

1. 締約国は、子どもの思想、良心および宗教の自由への権利を尊重する。
2. 締約国は、親および適当な場合には法定保護者が、子どもが自己の権利を行使するにあたって、子どもの能力の発達と一致する方法で子どもに指示を与える権利および義務を尊重する。
3. 宗教または信念を表明する自由については、法律で定める制限であって、公共の安全、公の秩序、公衆の健康もしくは道徳、または他の者の基本的な権利および自由を保護するために必要な制限のみを課することができる。

第15条 (結社・集会の自由)

1. 締約国は、子どもの結社の自由および平和的な集会の自由への権利を認める。
2. これらの権利の行使については、法律に従って課される制限であって、国の安全もしくは公共の安全、公の秩序、公衆の健康もしくは道徳の保護、または他の者の権利および自由の保護のために民主的社会において必要なもの以外のいかなる制限も課することができない。

第16条 (プライバシー・通信・名誉の保護)

1. いかなる子どもも、プライバシー、家族、住居または通信を恣意的にまたは不法に干渉されず、かつ、名誉および信用を不法に攻撃されない。
2. 子どもは、このような干渉または攻撃に対する法律の保護を受ける権利を有する。

第17条 (適切な情報へのアクセス)

締約国は、マスメディアの果たす重要な機能を認め、かつ、子どもが多様な国内的および国際的な情報源からの情報および資料、とくに自己の社会的、精神的および道徳的福祉ならびに心身の健康の促進を目的とした情報および資料へアクセスすることを確保する。この目的のため、締約国は、次のことをする。
(a) マスメディアが、子どもにとって社会的および文化的利益があり、かつ第29条の精神と合致する情報および資料を普及することを奨励すること。
(b) 多様な文化的、国内的および国際的な情報源からの当該情報および資料の作成、交換および普及について国際協力を奨励すること。
(c) 子ども用図書の製作および普及を奨励すること。
(d) マスメディアが、少数者集団に属する子どもまたは先住民である子どもの言語上のニーズをとくに配慮することを奨励すること。
(e) 第13条および第18条の諸条項に留意し、子どもの福祉に有害な情報および資料から子どもを保護するための適当な指針の発展を奨励すること。

第18条 (親の第一次的養育責任と国の援助)

1. 締約国は、親双方が子どもの養育および発達に対する共通の責任を有するという原則の承認を確保するために最善の努力を払う。親または場合によって法定保護者は、子どもの養育および発達に対する第一次的責任を有する。子どもの最善の利益が、親または法定保護者の基本的関心となる。
2. この条約に掲げる権利の保障および促進のために、締約国は、親および法定保護者が子どもの養育責任を

果たすにあたって適当な援助を与え、かつ、子どもの
ケアのための機関、施設およびサービスの発展を確保
する。

3. 締約国は、働く親をもつ子どもが、受ける資格のあ
る保育サービスおよび保育施設から利益を得る権利を
有することを確保するためにあらゆる適当な措置をと
る。

第19条（親による虐待・放任・搾取からの保護）

1. 締約国は、（両）親、法定保護者または子どもの養
育をする他の者による子どもの養育中に、あらゆる形
態の身体的または精神的な暴力、侵害または虐待、放
任または怠慢な取扱い、性的虐待を含む不当な取扱い
または搾取から子どもを保護するためにあらゆる適当
な立法上、行政上、社会上および教育上の措置をとる。

2. 当該保護措置は、適当な場合には、子どもおよび子
どもを養育する者に必要な援助を与える社会計画の確
立、およびその他の形態の予防のための効果的な手続、
ならびに上記の子どもの不当な取扱いについての事件
の発覚、報告、付託、調査、処置および追跡調査のため、
および適当な場合には、司法的関与のための効果的な
手続を含む。

第20条（家庭環境を奪われた子どもの保護）

1. 一時的にもしくは恒常的に家庭環境を奪われた子ど
も、または、子どもの最善の利益に従えばその環境に
とどまることが容認されえない子どもは、国によって
与えられる特別な保護および援助を受ける資格を有す
る。

2. 締約国は、国内法に従い、このような子どものため
の代替的養護を確保する。

3. 当該養護には、とりわけ、里親託置、イスラム法の
カファラ、養子縁組、または必要な場合には子どもの
養護に適した施設での措置を含むことができる。解決
策を検討するときには、子どもの養育に継続性が望ま
れることについて、ならびに子どもの民族的、宗教的、
文化的および言語的背景について正当な考慮を払う。

第21条（養子縁組）

養子縁組の制度を承認および（または）許容している
締約国は、子どもの最善の利益が最高の考慮事項であ
ることを確保し、次のことをする。

（a）子どもの養子縁組が権限ある機関によってのみ認
可されることを確保すること。当該機関は、適用可能
な法律および手続に従い、関連がありかつ信頼できる
あらゆる情報に基づき、養子縁組が親、親族および法
定保護者とかかわる子どもの地位に鑑みて許容される

ことを決定する。必要があれば、当該養子縁組の関係
者が、必要とされるカウンセリングに基づき、養子縁
組に対して情報を得た上での同意を与えることを確保
すること。

（b）国際養子縁組は、子どもが里親家族もしくは養親
家族に託置されることができない場合、または子ども
がいかなる適切な方法によってもその出身国において
養護されることができない場合には、子どもの養護の
代替的手段とみなすことができることを認めること。

（c）国際養子縁組された子どもが、国内養子縁組に関
して存在しているのと同等の保護および基準を享受す
ることを確保すること。

（d）国際養子縁組において、当該託置が関与する者の
金銭上の不当な利得とならないことを確保するために
あらゆる適当な措置をとること。

（e）適当な場合には、二国間または多数国間の取決め
または協定を締結することによってこの条の目的を促
進し、かつ、この枠組の中で、子どもの他国への当該
託置が権限ある機関または組織によって実行されるこ
とを確保するよう努力すること。

第22条（難民の子どもの保護・援助）

1. 締約国は、難民の地位を得ようとする子ども、また
は、適用可能な国際法および国際手続または国内法お
よび国内手続に従って難民とみなされる子どもが、親
または他の者の同伴の有無にかかわらず、この条約お
よび自国が締約国となっている他の国際人権文書また
は国際人道文書に掲げられた適用可能な権利を享受す
るにあたって、適当な保護および人道的な援助を受け
ることを確保するために適当な措置をとる。

2. この目的のため、締約国は、適当と認める場合、国
際連合および他の権限ある政府間組織または国際連合
と協力関係にある非政府組織が、このような子どもを
保護しかつ援助するためのいかなる努力にも、および、
家族との再会に必要な情報を得るために難民たる子ど
もの親または家族の他の構成員を追跡するためのいか
なる努力にも、協力をする。親または家族の他の構成
員を見つけることができない場合には、子どもは、何
らかの理由により恒常的にまたは一時的に家庭環境を
奪われた子どもと同一の、この条約に掲げられた保護
が与えられる。

第23条（障害のある子どもの権利）

1. 締約国は、精神的または身体的に障害のある子ども
が、尊厳を確保し、自立を促進し、かつ地域社会への
積極的な参加を助長する条件の下で、十分かつ人間に
値する生活を享受すべきであることを認める。

2. 締約国は、障害児の特別なケアへの権利を認め、かつ、利用可能な手段の下で、援助を受ける資格のある子どもおよびその養育に責任を負う者に対して、申請に基づく援助であって、子どもの条件および親または子どもを養育する他の者の状況に適した援助の拡充を奨励しかつ確保する。

3. 障害児の特別なニーズを認め、2に従い拡充された援助は、親または子どもを養育する他の者の財源を考慮しつつ、可能な場合にはいつでも無償で与えられる。その援助は、障害児が可能なかぎり全面的な社会的統合ならびに文化的および精神的発達を含む個人の発達を達成することに貢献する方法で、教育、訓練、保健サービス、リハビリテーションサービス、雇用準備およびレクリエーションの機会に効果的にアクセスしかつそれらを享受することを確保することを目的とする。

4. 締約国は、国際協力の精神の下で、障害児の予防保健ならびに医学的、心理学的および機能的治療の分野における適当な情報交換を促進する。その中には、締約国が当該分野においてその能力および技術を向上させ、かつ経験を拡大することを可能にするために、リハビリテーション教育および職業上のサービスの方法に関する情報の普及およびそれへのアクセスが含まれる。この点については、発展途上国のニーズに特別な考慮を払う。

第24条（健康・医療への権利）

1. 締約国は、到達可能な最高水準の健康の享受ならびに疾病の治療およびリハビリテーションのための便宜に対する子どもの権利を認める。締約国は、いかなる子どもも当該保健サービスへアクセスする権利を奪われないことを確保するよう努める。

2. 締約国は、この権利の完全な実施を追求し、とくに次の適当な措置をとる。

(a) 乳幼児および子どもの死亡率を低下させること。

(b) 基礎保健の発展に重点をおいて、あらゆる子どもに対して必要な医療上の援助および保健を与えることを確保すること。

(c) 環境汚染の危険およびおそれを考慮しつつ、とりわけ、直ちに利用可能な技術を適用し、かつ十分な栄養価のある食事および清潔な飲料水を供給することにより、基礎保健の枠組の中で疾病および栄養不良と闘うこと。

(d) 母親のための出産前後の適当な保健を確保すること。

(e) 社会のあらゆる構成員とくに親および子どもが、子どもの健康および栄養、母乳育児の利点、衛生および環境衛生、ならびに事故の予防措置についての基礎的な知識を活用するにあたって、情報が提供され、教育にアクセスし、かつ援助されることを確保すること。

(f) 予防保健、親に対する指導、ならびに家庭計画の教育およびサービスを発展させること。

3. 締約国は、子どもの健康に有害な伝統的慣行を廃止するために、あらゆる効果的でかつ適当な措置をとる。

4. 締約国は、この条の認める権利の完全な実現を漸進的に達成するために、国際協力を促進しかつ奨励することを約束する。この点については、発展途上国のニーズに特別な考慮を払う。

第25条（施設等に措置された子どもの定期的審査）

締約国は、身体的または精神的な健康のケア、保護または治療のために権限ある機関によって措置されている子どもが、自己になされた治療についておよび自己の措置に関する他のあらゆる状況についての定期審査を受ける権利を有することを認める。

第26条（社会保障への権利）

1. 締約国は、すべての子どもに対して社会保険を含む社会保障を享受する権利を認め、かつ、国内法に従いこの権利の完全な実現を達成するために必要な措置をとる。

2. 当該給付については、適当な場合には、子どもおよびその扶養に責任を有している者の資力および状況を考慮し、かつ、子どもによってまた子どもに代わってなされた給付の申請に関する他のすべてを考慮しつつ行う。

第27条（生活水準への権利）

1. 締約国は、身体的、心理的、精神的、道徳的および社会的発達のために十分な生活水準に対するすべての子どもの権利を認める。

2. （両）親または子どもに責任を負う他の者は、その能力および資力の範囲で、子どもの発達に必要な生活条件を確保する第一次的な責任を負う。

3. 締約国は、国内条件に従いかつ財源内において、この権利の実施のために、親および子どもに責任を負う他の者を援助するための適当な措置をとり、ならびに、必要な場合にはとくに栄養、衣服および住居に関して物的援助を行い、かつ援助計画を立てる。

4. 締約国は、親または子どもに財政的な責任を有している他の者から、自国内においてもおよび外国からでも子どもの扶養料を回復することを確保するためにあらゆる適当な措置をとる。とくに、子どもに財政的な責任を有している者が子どもと異なる国に居住している場合には、締約国は、国際協定への加入または締結

ならびに他の適当な取決めの作成を促進する。

第28条（教育への権利）

1. 締約国は、子どもの教育への権利を認め、かつ、漸進的および平等な機会に基づいてこの権利を達成するために、とくに次のことをする。

(a) 初等教育を義務的なものとし、かつすべての者に対して無償とすること。

(b) 一般教育および職業教育を含む種々の形態の中等教育の発展を奨励し、すべての子どもが利用可能でありかつアクセスできるようにし、ならびに、無償教育の導入および必要な場合には財政的援助の提供などの適当な措置をとること。

(c) 高等教育を、すべての適当な方法により、能力に基づいてすべての者がアクセスできるものとすること。

(d) 教育上および職業上の情報ならびに指導を、すべての子どもが利用可能でありかつアクセスできるものとすること。

(e) 学校への定期的な出席および中途退学率の減少を奨励するための措置をとること。

2. 締約国は、学校懲戒が子どもの人間の尊厳と一致する方法で、かつこの条約に従って行われることを確保するためにあらゆる適当な措置をとる。

3. 締約国は、とくに、世界中の無知および非識字の根絶に貢献するために、かつ科学的および技術的知識ならびに最新の教育方法へのアクセスを助長するために、教育に関する問題について国際協力を促進しかつ奨励する。この点については、発展途上国のニーズに特別の考慮を払う。

第29条（教育の目的）

1. 締約国は、子どもの教育が次の目的で行われることに同意する。

(a) 子どもの人格、才能ならびに精神的および身体的能力を最大限可能なまで発達させること。

(b) 人権および基本的自由の尊重ならびに国際連合憲章に定める諸原則の尊重を発展させること。

(c) 子どもの親、子ども自身の文化的アイデンティティ、言語および価値の尊重、子どもが居住している国および子どもの出身国の国民的価値の尊重、ならびに自己の文明と異なる文明の尊重を発展させること。

(d) すべての諸人民間、民族的、国民的および宗教的集団ならびに先住民間の理解、平和、寛容、性の平等および友好の精神の下で、子どもが自由な社会において責任ある生活を送れるようにすること。

(e) 自然環境の尊重を発展させること。

2. この条または第28条のいかなる規定も、個人およ

び団体が教育機関を設置しかつ管理する自由を妨げるものと解してはならない。ただし、つねに、この条の1に定める原則が遵守されること、および当該教育機関において行われる教育が国によって定められる最低限度の基準に適合することを条件とする。

第30条（少数者・先住民の子どもの権利）

民族上、宗教上もしくは言語上の少数者、または先住民が存在する国においては、当該少数者または先住民に属する子どもは、自己の集団の他の構成員とともに、自己の文化を享受し、自己の宗教を信仰しかつ実践し、または自己の言語を使用する権利を否定されない。

第31条（休息・余暇、遊び、文化的・芸術的生活への参加）

1. 締約国は、子どもが、休息しかつ余暇をもつ権利、その年齢にふさわしい遊びおよびレクリエーション的活動を行う権利、ならびに文化的生活および芸術に自由に参加する権利を認める。

2. 締約国は、子どもが文化的および芸術的生活に十分に参加する権利を尊重しかつ促進し、ならびに、文化的、芸術的、レクリエーション的および余暇的活動のための適当かつ平等な機会の提供を奨励する。

第32条（経済的搾取・有害労働からの保護）

1. 締約国は、子どもが、経済的搾取から保護される権利、および、危険があり、その教育を妨げ、あるいはその健康または身体的、心理的、精神的、道徳的もしくは社会的発達にとって有害となるおそれのあるいかなる労働に就くことからも保護される権利を認める。

2. 締約国は、この条の実施を確保するための立法上、行政上、社会上および教育上の措置をとる。締約国は、この目的のため、他の国際文書の関連条項に留意しつつ、とくに次のことをする。

(a) 最低就業年齢を規定すること。

(b) 雇用時間および雇用条件について適当な規則を定めること。

(c) この条の効果的実施を確保するための適当な罰則または他の制裁措置を規定すること。

第33条（麻薬・向精神薬からの保護）

締約国は、関連する国際条約に示された麻薬および向精神薬の不法な使用から子どもを保護し、かつこのような物質の不法な生産および取引に子どもを利用させないために、立法上、行政上、社会上および教育上の措置を含むあらゆる適当な措置をとる。

第34条（性的搾取・虐待からの保護）

締約国は、あらゆる形態の性的搾取および性的虐待から子どもを保護することを約束する。これらの目的のため、締約国は、とくに次のことを防止するためのあらゆる適当な国内、二国間および多数国間の措置をとる。

(a) 何らかの不法な性的行為に従事するよう子どもを勧誘または強制すること。

(b) 売春または他の不法な性的行為に子どもを搾取的に使用すること。

(c) ポルノ的な実演または題材に子どもを搾取的に使用すること。

第35条（誘拐・売買・取引の防止）

締約国は、いかなる目的またはいかなる形態を問わず、子どもの誘拐、売買または取引を防止するためにあらゆる適当な国内、二国間および多数国間の措置をとる。

第36条（他のあらゆる形態の搾取からの保護）

締約国は、子どもの福祉のいずれかの側面にとって有害となる他のあらゆる形態の搾取から子どもを保護する。

第37条（死刑・拷問等の禁止、自由を奪われた子どもの適正な取扱い）

締約国は、次のことを確保する。

(a) いかなる子どもも、拷問または他の残虐な、非人道的なもしくは品位を傷つける取扱いもしくは刑罰を受けない。18歳未満の犯した犯罪に対して、死刑および釈放の可能性のない終身刑を科してはならない。

(b) いかなる子どももその自由を不法にまたは恣意的に奪われない。子どもの逮捕、抑留または拘禁は、法律に従うものとし、最後の手段として、かつ最も短い適当な期間でのみ用いられる。

(c) 自由を奪われたすべての子どもは、人道的におよび人間の固有の尊厳を尊重して取扱われ、かつその年齢に基づくニーズを考慮した方法で取扱われる。とくに、自由を奪われたすべての子どもは、子どもの最善の利益に従えば成人から分離すべきでないと判断される場合を除き、成人から分離されるものとし、かつ、特別の事情のある場合を除き、通信および面会によって家族との接触を保つ権利を有する。

(d) 自由を奪われたすべての子どもは、法的および他の適当な援助に速やかにアクセスする権利、ならびに、その自由の剥奪の合法性を裁判所または他の権限ある独立のかつ公平な機関において争い、かつ当該訴えに対する迅速な決定を求める権利を有する。

第38条（武力紛争における子どもの保護）

1. 締約国は、武力紛争において自国に適用可能な国際人道法の規則で子どもに関連するものを尊重し、かつその尊重を確保することを約束する。

2. 締約国は、15歳に満たない者が敵対行為に直接参加しないことを確保するためにあらゆる可能な措置をとる。

3. 締約国は、15歳に満たないいかなる者も軍隊に徴募することを差し控える。締約国は、15歳に達しているが18歳に満たない者の中から徴募を行うにあたっては、最年長の者を優先するよう努める。

4. 締約国は、武力紛争下における文民の保護のための国際人道法に基づく義務に従い、武力紛争の影響を受ける子どもの保護およびケアを確保するためにあらゆる可能な措置をとる。

第39条（犠牲になった子どもの心身の回復と社会復帰）

締約国は、あらゆる形態の放任、搾取または虐待の犠牲になった子ども、拷問または他のあらゆる形態の残虐な、非人道的なもしくは品位を傷つける取扱いもしくは刑罰の犠牲になった子ども、あるいは、武力紛争の犠牲になった子どもが身体的および心理的回復ならびに社会復帰することを促進するためにあらゆる適当な措置をとる。当該回復および復帰は、子どもの健康、自尊心および尊厳を育む環境の中で行われる。

第40条（少年司法）

1. 締約国は、刑法に違反したとして申し立てられ、罪を問われ、または認定された子どもが、尊厳および価値についての意識を促進するのにふさわしい方法で取り扱われる権利を認める。当該方法は、他の者の人権および基本的自由の尊重を強化するものであり、ならびに、子どもの年齢、および子どもが社会復帰しかつ社会において建設的な役割を果たすことの促進が望ましいことを考慮するものである。

2. 締約国は、この目的のため、国際文書の関連する条項に留意しつつ、とくに次のことを確保する。

(a) いかなる子どもも、実行の時に国内法または国際法によって禁止されていなかった作為または不作為を理由として、刑法に違反したとして申し立てられ、罪を問われ、または認定されてはならない。

(b) 法的に違反したとして申し立てられ、または罪を問われた子どもは、少なくとも次の保障を受ける。

(i) 法律に基づき有罪が立証されるまで無罪と推定されること。

(ii) 自己に対する被疑事実を、迅速かつ直接的に、お

および適当な場合には親または法定保護者を通じて告知されること。自己の防御の準備およびその提出にあたって法的または他の適当な援助を受けること。

(iii) 権限ある独立のかつ公平な機関または司法機関により、法律に基づく公正な審理において、法的または他の適当な援助者の立会いの下で、および、とくに子どもの年齢または状況を考慮し、子どもの最善の利益にならないと判断される場合を除き、親または法定保護者の立会いの下で遅滞なく決定を受けること。

(iv) 証言を強制され、または自白を強制されないこと。自己に不利な証人を尋問し、または当該証人に尋問を受けさせること。平等な条件の下で自己のための証人の出席および尋問を求めること。

(v) 刑法に違反したと見なされた場合には、この決定および決定の結果科される措置が、法律に基づき、上級の権限ある独立のかつ公平な機関または司法機関によって再審理されること。

(vi) 子どもが使用される言語を理解することまたは話すことができない場合は、無料で通訳の援助を受けること。

(vii) 手続のすべての段階において、プライバシーが十分に尊重されること。

3. 締約国は、刑法に違反したとして申し立てられ、罪を問われ、また認定された子どもに対して特別に適用される法律、手続、機関および施設の確立を促進するよう努める。とくに次のことに努める。

(a) 刑法に違反する能力を有しないと推定される最低年齢を確立すること。

(b) 適当かつ望ましい時はつねに、人権および法的保障を十分に尊重することを条件として、このような子どもを司法的手続によらずに取扱う措置を確立すること。

4. ケア、指導および監督の命令、カウンセリング、保護観察、里親養護、教育および職業訓練のプログラムならびに施設内処遇に替わる他の代替的措置などの多様な処分は、子どもの福祉に適当で、かつ子どもの状況および罪のいずれにも見合う方法によって子どもが取り扱われることを確保するために利用可能なものとする。

第41条（既存の権利の確保）

この条約のいかなる規定も、次のものに含まれる規定であって、子どもの権利の実現にいっそう貢献する規定に影響を及ぼすものではない。

(a) 締約国の法

(b) 締約国について効力を有する国際法

第42条（条約広報義務）

締約国は、この条約の原則および規定を、適当かつ積極的な手段により、おとなのみならず子どもに対しても同様に、広く知らせることを約束する。

第43条（子どもの権利委員会の設置）

1. この条約において約束された義務の実現を達成することにつき、締約国によってなされた進歩を審査するために、子どもの権利に関する委員会を設置する。委員会は、以下に定める任務を遂行する。

2. 委員会は、徳望が高く、かつこの条約が対象とする分野において能力を認められた10人の専門家で構成する。委員会の委員は、締約国の国民の中から締約国により選出されるものとし、個人の資格で職務を遂行する。その選出にあたっては、衡平な地理的配分ならびに主要な法体系に考慮を払う。

3. 委員会の委員は、締約国により指名された者の名簿の中から秘密投票により選出される。各締約国は、自国民の中から一人の者を指名することができる。

4. 委員会の委員の最初の選挙は、この条約の効力発生の日の後6箇月以内に行い、最初の選挙の後は2年ごとに行う。国際連合事務総長は、各選挙の日の遅くとも4箇月前までに、締約国に対し、自国が指名する者の氏名を2箇月以内に提出するよう書簡で要請する。同事務総長は、指名されたすべての者のアルファベット順による名簿（これらの者を指名した締約国名を表示した名簿とする）を作成し、締約国に送付する。

5. 委員会の委員の選挙は、国際連合事務総長により国際連合本部に招集される締約国の会合にて行う。この会合は、締約国の3分の2をもって定足数とする。この会合においては、出席しかつ投票する締約国の代表によって投じられた票の最多数でかつ過半数の票を得た者をもって、委員会に選出された委員とする。

6. 委員会の委員は、4年の任期で選出される。委員は、再指名された場合には、再選される資格を有する。最初の選挙において選出された委員のうち5人の委員の任期は、2年で終了する。これらの5人の委員は、最初の選挙の後直ちに、最初の選挙のための会合の議長によりくじ引きで選ばれる。

7. 委員会の委員が死亡しもしくは辞任し、またはそれ以外の理由のため委員会の職務を遂行することができなくなったと申し出る場合には、当該委員を指名した締約国は、委員会の承認を条件として、残りの期間職務を遂行する他の専門家を自国民の中から任命する。

8. 委員会は、手続規則を定める。

9. 委員会は、役員を2年の任期で選出する。

10. 委員会の会合は、原則として国際連合本部または委員会が決定する他の適当な場所において開催する。委員会は、原則として毎年会合する。委員会の会合の期間は、国際連合総会の承認を条件として、この条約の締約国の会合によって決定され、必要があれば、再検討される。

11. 国際連合事務総長は、委員会がこの条約に定める任務を効果的に遂行するために必要な職員および便益を提供する。

12. この条約により設けられた委員会の委員は、国際連合総会の承認を得て、同総会が決定する条件に従い、国際連合の財源から報酬を受ける。

第44条（締約国の報告義務）

1. 締約国は、次の場合に、この条約において認められる権利の実施のためにとった措置およびこれらの権利の享受についてもたらされた進歩に関する報告を、国際連合事務総長を通じて、委員会に提出することを約束する。

（a）当該締約国についてこの条約が効力を生ずる時から2年以内

（b）その後は5年ごと

2. この条に基づいて作成される報告には、この条約に基づく義務の履行の程度に影響を及ぼす要因および障害が存在する場合は、それらを記載する。報告には、当該締約国におけるこの条約の実施について、委員が包括的に理解するための十分な報告もあわせて記載する。

3. 委員会に包括的な最初の報告を提出している締結国は、1（b）に従って提出される以後の報告においては、以前に提出した基本的な情報を繰り返し報告しなくてもよい。

4. 委員会は、締約国に対し、この条約の実施に関する追加的な情報を求めることができる。

5. 委員会は、その活動に関する報告を、2年ごとに経済社会理事会を通じて国際連合総会に提出する。

6. 締約国は、自国の報告を、国内において公衆に広く利用できるようにする。

第45条（委員会の作業方法）

この条約の実施を促進し、かつ、この条約が対象とする分野における国際協力を奨励するために、

（a）専門機関、国際連合児童基金および他の国際連合諸機関は、その権限の範囲内にある事項に関するこの条約の規定の実施についての検討に際し、代表を出す権利を有する。委員会は、専門機関、国際連合児童基金および他の資格のある団体に対し、その権限の範囲

内にある領域におけるこの条約の実施について、適当と認める場合には、専門的助言を与えるよう要請することができる。委員会は、専門機関、国際連合児童基金および他の国際連合諸機関に対し、その活動の範囲内にある領域におけるこの条約の実施について報告を提出するよう要請することができる。

（b）委員会は、適当と認める場合には、技術的助言もしくは援助を要請しているか、またはこれらの必要性を指摘している締約国からの報告を、もしあればこれらの要請または指摘についての委員会の所見および提案とともに、専門機関、国際連合児童基金および他の資格のある団体に送付する。

（c）委員会は、国際連合事務総長が子どもの権利に関する特定の問題の研究を委員に代わって行うことを要請するよう、国際連合総会に勧告することができる。

（d）委員会は、この条約の第44条および第45条に従って得た情報に基づいて、提案および一般的勧告を行うことができる。これらの提案および一般的勧告は、関係締約国に送付され、もしあれば締約国からのコメントとともに、国際連合総会に報告される。

第III部

第46条（署名）

この条約は、すべての国による署名のために開放しておく。

第47条（批准）

この条約は、批准されなければならない。批准書は、国際連合事務総長に寄託する。

第48条（加入）

この条約は、すべての国による加入のために開放しておく。加入書は、国際連合事務総長に寄託する。

第49条（効力発生）

1. この条約は、20番目の批准書または加入書が国際連合事務総長に寄託された日の後30日目の日に効力を生ずる。

2. この条約は、20番目の批准書または加入書が寄託された後に批准しまたは加入する国については、その批准書または加入書が寄託された日の後30日目の日に効力を生ずる。

第50条（改正）

1. いずれの締約国も、改正を提案し、かつ改正案を国

際連合事務総長に提出することができる。同事務総長は、直ちに締約国に改正案を送付するものとし、締約国による改正案の審議および投票のための締約国会議の開催についての賛否を同事務総長に通告するよう要請する。改正案の送付の日から4箇月以内に締約国の3分の1以上が会議の開催に賛成する場合には、同事務総長は、国際連合の主催の下に会議を招集する。会議において出席しかつ投票する締約国の過半数によって採択された改正案は、承認のため、国際連合総会に提出する。

2. この条の1に従って採択された改正案は、国際連合総会が承認し、かつ締約国の3分の2以上の多数が受諾した時に、効力を生ずる。

3. 改正は、効力を生じた時には、改正を受諾した締約国を拘束するものとし、他の締約国は、改正前のこの条約の規定（受諾した従前の改正を含む）により引き続き拘束される。

第51条（留保）

1. 国際連合事務総長は、批准または加入の際に行われた留保の書面を受領し、かつすべての国に送付する。

2. この条約の趣旨および目的と両立しない留保は認められない。

3. 留保は、国際連合事務総長にあてた通告により、いつでも撤回できるものとし、同事務総長は、その撤回をすべての国に通報する。このようにして通報された通告は、受領された日に効力を生ずる。

第52条（廃棄）

締約国は、国際連合事務総長にあてた書面による通告により、この条約を廃棄することができる。廃棄は、同事務総長が通告を受領した日の後1年で効力を生ずる。

第53条（寄託）

国際連合事務総長は、この条約の寄託者として指定される。

第54条（正文）

この条文は、アラビア語、中国語、英語、フランス語、ロシア語およびスペイン語をひとしく正文とし、原本は、国際連合事務総長に寄託する。

おわりに

　イラストを使って、わかりやすい文章で、子どもたちとともに「子どもの権利条約」を考えていきたいという思いから、このワークブックが誕生しました。

　使用しているイラストは、スウェーデンの画家チャーリー・ノーマンさんによるものです。1989年に「子どもの権利条約」が国際連合で採択され、スウェーデンが批准した後の1990年代、研修用テキストとして同国各地で使われていました。2015年、ノーマンさんから日本国内でイラストを使用する許可をいただき、2017年3月に『はじめまして、子どもの権利条約』と名づけた絵本を上梓しました。

　今回のワークブックでは、子どもたちの書き込みやすさを重視し、紙やスペースを検討したため2色刷りでの紹介となっていますが、オールカラーの絵本に掲載されているイラストは独特の温かみのある鮮やかな色彩で、「子どもの権利条約」に込められた子どもたちへの思いに加え、北欧の雰囲気までをも感じることができます。全国で巡回イラスト展も開催させていただいておりますので、機会がありましたら、ぜひ、カラーのイラストにも触れていただければ幸いです。

　ノーマンさんのイラストを通して「子どもの権利」への理解が、子ども自身や子ども支援に携わるおとなたちに浸透していくよう、そして、さらなる普及啓発につながりますように。どうぞ、このワークブックを手に取ってくださったお一人おひとりの力を貸してください。

【監修】

川名はつ子（かわな・はつこ）

早稲田大学里親研究会代表。早稲田大学人間科学学術院元教授。お茶の水女子大学文教育学部卒業。博士（医学）帝京大学。社会福祉士。太平出版社編集部、帝京大学医学部助手、帝京平成短期大学福祉学科講師を経て、2003年4月から2019年3月まで早稲田大学。専門は子ども家庭福祉（養子里親制度・障害児）。

【イラスト】

チャーリー・ノーマン

国立ストックホルム美術工芸デザイン大学卒業。同大学やスウェーデン国内のデザイン学校などで、グラフィックデザインやコピーライトに関する教鞭をとるかたわら、フリーのイラストレーターとしても活躍。新聞、雑誌、広告、教育教材などに作品を提供している。子ども支援専門の国際NGO「Save the Children」がスウェーデン国内で発行した「子どもの権利条約研修テキスト」のイラストを担当。

【編集・翻訳】

山藤宏子（やまふじ・ひろこ）

松本短期大学幼児保育学科准教授。早稲田大学大学院人間科学研究科修士課程修了（人間科学修士）。草苑保育専門学校専任講師を経て2020年4月から現職。専門は発達行動学・児童福祉（保育）。

中川友生（なかがわ・ともお）

神戸市総合療育センター理学療法士。専門社会調査士。早稲田大学大学院文学研究科博士後期課程修了。博士（文学）。専門は児童福祉（家庭養護、子どもの権利擁護）、障害児リハビリテーション。

はじめまして、子どもの権利条約

監修　川名はつ子
イラスト　チャーリー・ノーマン

B5判・上製本　88頁（カラー74頁）
定価（本体1,500円＋税）　ISBN 978-4-486-03903-7

スウェーデンの画家チャーリー・ノーマンが
描いたシンプルで力強いイラストを、オール
カラーで掲載。全54条の中から17の条文を抜
粋し、その内容をわかりやすく紹介していく。
家庭で、学校で、地域で、子どもの真の幸せ
について話し合うきっかけになる「絵本」。

はじめまして、子どもの権利条約ワークブック
2020年9月20日　第1刷発行

監修　川名はつ子
イラスト　チャーリー・ノーマン
編集・翻訳　山藤宏子、中川友生

発行者　原田邦彦
発行所　東海教育研究所
　　　　〒160-0023　東京都新宿区西新宿7-4-3　升本ビル
　　　　電話 03-3227-3700　ファクス 03-3227-3701
　　　　eigyo@tokaiedu.co.jp

印刷・製本　株式会社シナノパブリッシングプレス
装丁・本文デザイン　佐藤裕久
編集協力　齋藤 晋

©HATUKO KAWANA 2020／Printed in Japan
ISBN978-4-924523-09-8　C0037